JEAN-LOUIS GROSMAIRE

PALMIERS

DANS LA NEIGE

ROMAN

Vermillon

Merci à Micheline Ladouceur
Francisca et Luis Mario Lula
Michel Bouffard
Denis St-Jacques
Liliane Fery-Pinard
Henri Lessard

En hommage aux enfants du Brésil
et d'ailleurs

Toute ma reconnaissance à Sergio Adas
pour ses conseils et à Melhem Adas pour
son ouvrage *A fome crise ou escândalo?*
Editora Moderna, SP Brasil

Un espoir : le président du Brésil, Luiz Inacio Lula da Silva s'est fixé, comme priorité : « la faim zéro ».

Au Brésil, cinquante-quatre millions de personnes, soit près d'un tiers de la population, souffrent de malnutrition.

(Mars 2003)

Chapitre premier

Je ne suis pas une valise

Un soir d'été à Montréal, deux amies, Angèle Lachance et Catherine Mailloux sont en grande conversation.

– Catherine, je ne pourrai pas te parler longtemps, parce que nous n'avons qu'une ligne téléphonique. Ma mère décroche toujours la première, même si c'est souvent pour moi ou pour mon frère Charles!

– C'est pas drôle...

– J'ai treize ans et ma mère me traite comme un bébé.

– Hein?

– Juste un exemple, j'adore les pizzas, elle n'en fait jamais! On mange des affaires aux épinards, wouach! Pis je déteste la lasagne végé qu'elle nous prépare.

– Ouais...

– Pas «ouais», faut dire «oui», bien articulé. Selon mes parents je parle mal,

m'habille horriblement et grignote des co-
chonneries!

– Wouach!

– Mes parents me répètent sans cesse
que ma chambre n'est pas rangée. D'accord, je ne réussis pas bien à l'école, mais
ce n'est pas de ma faute si c'est ennuyant.
À quoi ça sert ce bourrage de crâne? Pis,
tu sais pas la dernière, mes parents vont
au Brésil.

– Toi aussi?

– Hélas oui!

– Et ton cher frère?

– Re-hélas oui! Je ne peux plus le
sentir. En ce moment il m'appelle « Barbie
boudin ».

– Barbie, admettons, il est jaloux de
tes cheveux blonds, mais boudin?

– Il dit que je boude tout le temps et
que j'ai des bourrelets.

– Barbie et boudin, ça va pas ensemble. D'ailleurs, je suis plus étoffée que toi
et je ne me considère pas comme un boudin. Explique-lui que c'est fini les man-
nequins maigres! On est comme on est!
Ton père, c'est son idée, ce voyage?

– T'as gagné! Paul parle à son téléphone dans le jardin, la cuisine, le salon,

la voiture, même les toilettes, il règle ses affaires aux toilettes mon père. C'est en sortant des toilettes qu'il nous a annoncé notre voyage!

– Un cabinet, c'est original comme bureau!

– Quand il me voit c'est : «Angèle, ma fille, quels sont tes objectifs, tes rendements, tes buts, tes défis?» Qu'est-ce que tu veux que je lui réponde, je n'ai que treize ans.

– Hum! intéressant, que treize ans...

– Je ne saisis pas.

– Ben au début de notre conversation t'avais treize ans aussi.

– Pis?

– Tu ne veux plus être considérée comme un bébé, râlais-tu, et là tu dis que tu es trop jeune. Passons. Ta mère?

– Elle ne trouve jamais les bons mots pour me parler. Elle met une distance entre nous, comme si elle craignait de perdre son autorité. Elle voudrait que je sois une image, une fille modèle.

– C'est l'enfer chez vous!

– Tu plaisantes, Catherine ou quoi? Toi tu as tout! Comme tes parents ont divorcé, ils te gâtent, tu joues sur les deux tableaux.

– Envier le divorce de mes parents, ça c'est le comble! Es-tu jalouse?

– Même si tu prétends le contraire, t'es plus svelte et plus sportive que moi : ski, planche à neige, patins à roulettes, vélo, volley.

– Qu'est-ce qui t'en empêche? Pis la séparation de mes parents, ça n'a pas été un cadeau, pour personne. Tu charries! Angèle, change d'attitude. Tout le monde ne t'en veut pas. Si tu faisais un petit effort.

– Qu'est-ce que tu racontes?

– Ta mère, elle a sa personnalité, toi aussi.

– Je suis écœurée.

– Là, tu m'énerves! T'as pas le droit de dire ça, Angèle!

– Toi non plus tu ne me comprends pas.

– Qu'est-ce qui te manque donc?

– Je suis fatiguée.

– Angèle, tu as tout et t'es malheureuse. Secoue-toi, mon amie. Écoute un peu plus les autres.

– Tu me fais la morale!

– Cesse de répéter que t'es incomprise, ne boude plus, s'il te plaît!

– C'est ce voyage au Brésil qui me dérange. Ça ne me tente pas du tout. Je ne suis pas une valise!

– Moi qui adorerais partir! Franchement!

– Catherine, tu n'as aucune idée de ce qu'est un voyage là-bas! Oups! ma mère veut la ligne. Salut!

Chapitre deux

C'est toujours pareil!

– Allô? Catherine? C'est vraiment confirmé, mes parents m'imposent le voyage au Brésil.

– Ton grand frère, comment il réagit?

– Charles rêve de l'Amazonie, de l'enfer vert. Il s'imagine au milieu des cobras, des lianes, des marécages, tu vois le genre!

– Le Brésil, c'est sûrement intéressant, non?

– Bof! en compagnie de mes parents, c'est toujours pareil. Papa est ingénieur pour une compagnie pétrolière. Nous, on est prisonniers dans les grands hôtels. Charles et moi, on suit maman. Florence se promène, les marchés, on les fait tous, quel que soit le pays. C'est plein de mouches, on crève de chaleur et les gens sont bruyants.

– J'aimerais ça! Je ne suis jamais sortie du Canada!

– T'es folle, Catherine, on est mieux ici.

– Tu as de la chance, prendre l'avion, voyager.

– Faut d'abord passer la visite médicale, puis il y a les vaccins, les cachets. Aucun plaisir là-dedans, ma chère. L'avion c'est long. La nourriture des restaurants me déplaît. Elle me rend souvent malade.

– Ton frère Charles ne joue pas avec toi?

– Maintenant qu'il a quatorze ans, il se prend pour un athlète. Il joue au volley-ball, au foot. Je ne suis rien pour monsieur! Je vais me barber entre papa-Paul qui parle de ses forages et tuyaux, maman-Florence de son marché et frère-Charles de ses performances!

– Tu ne te fais pas d'amie en voyage?

– Ces palaces sont fréquentés par des gens âgés. Ma mère a une connaissance là-bas. Elles ont été à l'université ensemble. Cette dame a une fille de mon âge, qui, comme sa mère, est déjà venue au Canada. On verra.

– Je t'envie.

– J'ai hâte d'être de retour, Catherine. Au revoir.

– Au revoir, Angèle.

Angèle se regarde dans le miroir de la salle de bains. Elle se cache aussitôt en rabattant une mèche sur son front. Ses longs cheveux blonds lui paraissent raides et ses lèvres dessinent une moue mélancolique. Elle s'efforce de sourire, mais cela vire à la grimace. Pourquoi Charles l'appelle-t-il Barbie boudin? Avec ses cheveux trop courts, c'est lui le boudin! Pourquoi faudrait-il qu'elle ressemble à un mannequin maigrichon? Elle n'impose rien à personne, elle, alors pourquoi ne la laisse-t-on pas tranquille? Pourquoi on décide tout pour elle et l'oblige-t-on à partir?

Ce matin, sa mère boucle les valises, son père vérifie ses dossiers. Angèle se peigne en vitesse, entre deux remarques ironiques de son frère et un conseil de sa mère. Angèle jette dans son sac quelques magazines, des livres et son baladeur. Son frère n'apporte que des affaires de sport. Sa mère trimbale des crèmes, «avant», «après bronzage», des foulards, des maillots de bain, et des livres pesants en cadeaux pour Terezinha, son amie brésilienne. Le père s'encombre de dossiers techniques et de disquettes.

Dernier coup d'œil à la maison, Angèle est sombre. Elle rabat sa mèche sur ses yeux. Le taxi file à l'aéroport.

À Dorval, ils prennent l'avion pour Toronto.

Durant cette escale, Paul téléphone à la compagnie pétrolière. «On aurait pu aller voir la tour du C.N., au moins!», pense Angèle, non, ils restent assis à l'aérogare durant des heures. Angèle somnole, cachant, encore une fois, son visage derrière ses cheveux. Elle porte ses shorts en jeans qui déplaisent tant à sa mère. Quant à son tee-shirt, orné d'une photographie de son groupe rock favori, sa mère le déteste. Son frère, le crâne presque rasé, est déguisé en sportif, chemise aux couleurs de son équipe de basket-ball, shorts et espadrilles. Il mâche de la gomme, se dandine comme s'il avait un ballon dans les mains. À présent, il s'excite en jouant à un jeu électronique.

Enfin, ils décollent!

Au petit matin, sa mère lui signale qu'ils ont franchi l'équateur durant la nuit. Ils arrivent à São Paulo au début de la matinée. Ils attendent encore une éternité dans l'aérogare. Le père rencontre des messieurs sérieux.

Autre avion. Elle ne se souvient plus, elle est trop fatiguée. En fin d'après-midi, ils atteignent la côte nord-est du Brésil. La ville se nomme Fortaleza. Leur hôtel est au bord de l'Atlantique. «La vue est magnifique», ne peut s'empêcher de penser Angèle. L'océan ourle ses vagues. Le sable est blanc comme de la neige où pousseraient des palmiers. Le ciel est bleu vif. Au loin, une plate-forme de forage, c'est là que va travailler Paul.

– Nous voici dans cette ville pour deux semaines, marmonne Angèle.

Chapitre trois

Iracema

– Tu as tout ici, profites-en! affirme sa mère, madame Lachance, tout en maquillant son visage aux séduisantes taches de rousseur.

– Maman, tu sais très bien que je voulais rester avec mes amies!

– Nous allons rencontrer Iracema, la fille de mon amie Terezinha. Iracema a treize ans.

– Je ne parle pas portugais.

– On apprend rapidement à ton âge. Charles se fera vite des copains.

– Lui, tout ce qu'il fait est bien.

– Je ne t'ai jamais dit ça. Allons à la plage. N'oublie pas ton chapeau! Angèle, attention au soleil, il est fort ici.

Florence a mis une robe ample.

– Ça masque un peu mes hanches, confie-t-elle en souriant à Angèle, aux yeux voilés par une mèche de cheveux.

Charles marche en avant. Angèle suit Florence qui sent, un peu trop, selon Angèle, la noix de coco de sa crème anti-bronzage.

Il est dix heures du matin. Paul est au travail.

De grosses vagues déferlent sur la plage. Des intrépides s'élancent dans l'océan.

Florence s'arrête sous une paillote. Charles s'insère aussitôt dans une équipe de volley-ball. Florence sort un livre.

– Mon amie Terezinha et sa fille Iracema vont nous rejoindre ici. Je lui ai téléphoné. J'ai hâte de la revoir. Terezinha est venue à Montréal l'an dernier. Tu ne l'as pas vue, tu étais au camp d'été.

Angèle se dirige vers la mer.

– Ma fille, je t'accompagne!

– Je suis assez grande!

– L'océan est dangereux! Tu as remarqué que personne ne se baigne seul.

– Non, je n'avais pas vu. Je ne suis pas observatrice...

– Angèle... je ne suis tout de même pas ton ennemie!

– Tu me réprimandes toujours.

– J'essaie simplement de t'aider. Tu es si compliquée.

Elles se baignent. Angèle est étonnée, l'eau a une température idéale. Les vagues ne sont pas si violentes qu'elle le pensait. Angèle saute, nage, éclabousse sa mère. Angèle sourit.

Elles sortent de l'eau. Angèle relève ses cheveux.

Elle se renfrogne aussitôt. Elle ne veut pas paraître heureuse.

Une femme d'une quarantaine d'années, plus svelte que Florence, et une jeune fille, arrivent à leur paillote. La femme porte un pagne bleu enroulé jusqu'aux épaules. La jeune fille a les cheveux bruns, mi-longs et bouclés; sa peau bronzée contraste avec son maillot rouge. Là-bas, Charles est toujours aussi absorbé par sa partie de volley-ball.

Florence et Terezinha se hâtent l'une vers l'autre. Angèle et Iracema s'observent.

– Quel plaisir, quel bonheur de se revoir, Florence! Voici Iracema.

– Ma fille Angèle et mon fils Charles, le joueur, là, le plus pâle de tous.

– Pas trop fatiguées, mesdames?

– Toujours longs ces voyages, mais il y a peu de décalage horaire. Comment ça va Terezinha?

– Viens, je vais te montrer quelque chose, annonce Iracema à Angèle.

Iracema, yeux bleus, mains joliment cuivrées, ouvre un sac de toile bariolée :

– Regarde !

– Où as-tu pris ça ? C'est un trésor ! s'émerveille Angèle.

– Et j'en ai encore plus !

– Hein !

Iracema plonge la main dans le sac plein de bracelets.

– Ils sont superbes, Irace...

– Iracema ! J'ai treize ans.

– Comme moi ! Tu t'exprimes très bien en français.

– Mes parents sont bilingues et veulent, depuis notre séjour au Canada, que je parle français, pour la culture et pour l'avenir. Tiens, je vais t'apprendre des mots brésiliens. Tu vois les barques ? Ce sont des *jangadas,* les pêcheurs des *jangadeiros.* La *jangada* n'est pas un voilier comme les autres. Il est petit. Il n'y a pas d'abri sur ces troncs et la voile est triangulaire. Ici, c'est la région du nord-est ou Nordeste. Moi, j'aime beaucoup le Nordeste. Les pêcheurs partent parfois en mer durant deux jours et certains *jangadeiros* ne savent même pas nager !

– Quel courage!

– Les gens du Nordeste ne se plaignent pas souvent. Les bijoux, c'est moi qui les ai faits, avec des perles, des tissus, du fil à pêche.

– Vraiment?

– Tiens, celui-là, c'est mon plus beau, je te le donne.

– Merci. Je ne connais rien du portugais. Veux-tu m'apprendre d'autres mots?

– Oui, oui, c'est *sim*, non : *não*, merci : *obrigada*, parce que tu es une femme, Charles dirait *obrigado*. Bonjour : *bom dia*, pour le matin, l'après-midi on dit : *boa tarde* et bonsoir : *boa noite*. Compris?

– Tu vas un peu vite.

– *Por favor* c'est : « s'il vous plaît ». *Onde*, c'est « où » et *quando* signifie « quand ». Facile, non?

– Trop rapide pour moi.

– Quand tu lèves le pouce, ainsi, ça veut dire : d'accord, O.K. tout va bien? *tudo bem?* (question), *tudo bom* (réponse), et salut, c'est *Oi*.

– Très bien!

– Alors tu dis *'ta lógico, 'ta ótimo, 'ta legal*.

– Oh! là! là!

– Nous on dit *Oba!*

– C'est drôle!

– Ne confonds pas avec *Opa!* qui veut dire « Oup-là! »

– C'est fou!

– Au Brésil on dit : *'Ta louco!*

– Bon, moi j'arrête, parce que ma tête va exploser. Iracema, tu ne vas pas à l'école?

– Soit le matin, soit l'après-midi. Cela dépend de mon horaire. En ce moment, nous terminons de courtes vacances.

– Tu as aimé le Canada?

– Oui et non. J'appréciais la neige et les jeux, mais le froid, je trouvais ça pénible.

– Comme la chaleur ici?

– Oui, il y a des journées dans le Nordeste qui sont des fournaises. Plus tu es pauvre, plus tu souffres. Angèle, on se baigne! Nos mères sont heureuses de s'être retrouvées! Elles semblent nous avoir oubliées!

– Tant mieux, Florence me couvera moins.

– N'allez pas loin, les filles, crie Florence.

– J'ai parlé trop vite, ma mère ne peut pas me lâcher une minute!

– C'est lui ton frère, là-bas?

– Oui.

– On dirait un Brésilien. Toi aussi d'ailleurs tu pourrais passer pour une Brésilienne.

– Toi, Iracema, tu es comme nous, sauf que je suis blonde.

– Et moi, plus bronzée. Revenez-vous demain à la plage?

– Sûrement.

– Je te ferai une surprise, Angèle.

Inquiètes, les mères rejoignent les filles et toutes se baignent dans les flots turquoise.

Chapitre quatre

Gilberto

Terezinha et Iracema sont au rendez-vous. La mer est calme. En arrière, la chaleur étouffe la ville. Les contours des gratte-ciel se perdent dans l'air moite.

Après la baignade, Florence sort une collation que l'on partage en papotant du Brésil et du Canada. Charles engouffre quelques biscuits et se promène sur la plage.

– Angèle, je propose que nous rendions visite à mon cousin Gilberto. Il a quatorze ans et vit dans un autre quartier.

– Ma mère va s'inquiéter.

– Non, maman sait où je te mène. Je lui en ai déjà parlé hier.

– C'est ta surprise?

– Ma mère s'occupe de plusieurs enfants et lui, c'est un peu mon protégé, mais nous ne l'avons pas vu depuis deux semaines. Il n'était pas en forme et ses parents ne sont pas souvent à la maison.

– Pourquoi?

– Famille désunie, misérable, ils cherchent du travail, et quand ils en ont, ils sont mal payés et c'est exténuant.

Elles rejoignent la paillote de leurs mères.

– Soyez prudentes les filles. Iracema, surveille bien Angèle. Elle ne connaît pas la ville.

– Bien sûr maman, ne te tracasse pas.

Iracema et Angèle s'éloignent. Madame Lachance ne peut s'empêcher d'être soucieuse. Où vont-elles exactement ces deux jeunes filles?

Graduellement la ville se transforme. Ce ne sont plus les hôtels, les tours d'appartements et leurs gardiens, leur piscine. À un quart d'heure de la plage, finie la brise marine, ici la poussière colle à la peau. Les rues sont étroites, des papiers jonchent les trottoirs défoncés.

Angèle suit Iracema qui se faufile parmi les passants.

À chaque carrefour, les voitures ralentissent, mais s'arrêtent rarement. Des personnes sont assises sur leur pas de porte. Des enfants errent dans la rue, à peine habillés, souvent sans chaussures.

Odeurs tenaces, chaleur de plus en plus forte. On dévisage Angèle. Maintenant, les maisons sont petites et délabrées. Un caniveau serpente au milieu d'une ruelle mal pavée. Angèle respire péniblement. Elles atteignent un passage entre des cabanes.

– Des gens habitent là-dedans? Angèle écarquille les yeux.

– Oui, mon cousin, entre autres.

Angèle évite l'eau verdâtre qui croupit dans le passage. Des planches, sacs de poubelle noirs, madriers, morceaux de carton, recouvrent les taudis.

– Nous sommes dans une favela, un bidonville.

Angèle a un haut-le-cœur. L'air est irrespirable.

– On retourne à l'hôtel.

– Et mon cousin?

– Je ne me sens pas bien.

– On y est.

Elles entrent dans une masure.

– *Gilberto?*

Un gémissement vient du fond.

– *Gilberto...*

Angèle aperçoit une ombre couchée sur un grabat.

– *Bom dia, Gilberto!* Iracema serre la main fragile que lui tend son cousin.

La main se tourne vers Angèle. Gilberto tremble. Angèle constate que les doigts de Gilberto sont froids, malgré la chaleur accablante.

Iracema essuie le front de son cousin. Les yeux de Gilberto sont deux boules tournant dans un visage creusé.

– *Angèle, amiga canadense.*

La main de Gilberto redescend, lentement.

– Qu'est-ce qu'il a?

– Comme il ne parle pas le français, je vais t'expliquer. C'est incroyable comme il a changé en deux semaines. Faut alerter maman, ce doit être le choléra ou la faim.

– Pardon?

– La faim, Angèle. Il ne mange pas régulièrement, parfois il n'a que quelques haricots et un peu de riz. Il attrape des maladies, des diarrhées.

– Pourquoi il ne mange pas mieux?

– Ses parents sont pauvres.

– Qu'est-ce qu'ils font ses parents?

– Son père cherche du travail. Quand il en trouve, il gagne très peu. Sa mère est femme de ménage ou cuisinière, elle lave du linge. Je ne pensais pas qu'il était aussi abandonné. Il a dû arriver quelque chose de grave à ses parents. Je lui demanderai plus tard. On va d'abord lui donner de l'eau.

Iracema soulève une planche, le seau est vide.

– Allons lui acheter à manger, viens.

– Tiens, Iracema, j'ai un peu d'argent de poche.

Ouf! Elles sont dehors! Angèle est éblouie par la lumière.

– Attention! crie Iracema.

Angèle sursaute.

– Méfie-toi des voitures, Angèle!

Dans un grand magasin s'alignent sept caisses enregistreuses, des rayons de boîtes de conserve, des étals de fruits frais, des allées de produits laitiers.

– On se croirait au Canada! Que veux-tu pour Gilberto?

– De l'eau, des biscuits.

– Du lait?

– Il n'en a pas bu depuis si longtemps, je me demande s'il pourrait le digérer.

Dehors, la chaleur les assomme de nouveau. Elles rejoignent le taudis de

Gilberto. Il boit, à petites gorgées, mâche un biscuit.

– On ne le remettra pas sur pieds en cinq minutes, affirme Iracema.

Puis, se tournant vers Gilberto et traduisant pour Angèle, Iracema poursuit :

– Gilberto, on va te laisser te reposer.

– À demain, Gilberto, murmure Angèle, bouleversée.

Il bouge les paupières en signe d'au revoir. Elles sortent en silence.

– Je me sens bizarre, Iracema.

– Je n'aurais pas dû te conduire ici. Il était faible avant, mais jamais à ce point. Où sont donc ses parents ?

– Qu'est-ce que je peux faire pour lui ?

– Lui apporter de la nourriture de l'hôtel. Ce que tu ne manges pas, il le mangera.

– Lui donner mes restes ?

Silencieuses, elles atteignent l'hôtel.

– *Tchau* Angèle, merci de m'avoir accompagnée.

– À la prochaine, Iracema.

– À demain ! On ira à la plage et on retournera chez Gilberto, on s'en reparlera. Je vais d'abord informer ma mère. Au revoir !

Angèle s'engouffre dans l'hôtel. Le marbre brille, le personnel sourit. On lui ouvre poliment la porte.

Florence, le visage rougi par le soleil, avance vers sa fille. Angèle, se cache les yeux derrière une mèche.

– Que t'arrive-t-il?

– Un peu fatiguée, je désire m'allonger.

– Je te rejoindrai avant le souper. Ton père ne rentrera pas ce soir, des problèmes à son travail, il avait l'air énervé. Je te trouve la mine pâle. Tu ne me caches rien, Angèle? Il faisait trente quatre cet après-midi à la plage, et quatre-vingt-dix pour cent d'humidité. Vous n'êtes pas restées au soleil, hein?

– Je vais bien, à tout à l'heure.

Seule dans sa chambre, Angèle pense à la souffrance de Gilberto, la misère du logis, la pauvreté du quartier. Angèle pleure. Elle fait et refait le chemin de la plage à chez Gilberto, elle le revoit sur son lit. «Le choléra! Est-ce que maintenant je suis contaminée? Se laver les mains, vite le robinet. Savon, re-savon, là sous les ongles. Chasser la maladie, que faire?»

Chapitre cinq

Sauvez-le!

Angèle et sa mère sont assises l'une en face de l'autre dans le restaurant de l'hôtel. On diffuse de la musique douce, un air léger berce les palmiers d'intérieur. Derrière la vitre, les eaux bleues de la piscine brillent au soleil cuisant. Les serveurs, aux uniformes impeccables, essaient de deviner vos désirs et tentent de vous éviter le moindre pas.

– Buffet à volonté, mesdames, annonce le maître d'hôtel en esquissant une courbette respectueuse.

Devant elles, s'alignent des plats copieux. Florence, légère robe de coton beige, les joues roses sous la crème apaisante, les cheveux bouclés, picore langoustes par-ci, crevettes par-là, riz, légumes, avocats.

Angèle, les cheveux ébouriffés, porte chemisette indienne, shorts de toile claire et sandalettes. Elle fixe son assiette vide.

– Tu ne manges pas? Je te parle, es-tu dans la lune?

– J'ai pas faim...

– T'es malade?

– J'ai pas faim.

– Pourquoi?

– Gilberto.

– Qui?

– Le cousin d'Iracema.

– Qu'est-ce qu'il a?

– Il meurt de faim.

– Tu me dis ça maintenant! Tu veux me donner mauvaise conscience? Je ne parviens pas à croire qu'un enfant soit affamé au point d'en être malade tandis que sa tante Terezinha se dore à la plage. Qu'est-ce que tu me racontes là? Voyons! Bon! Le fait de te priver ne nourrira pas ceux qui meurent de faim! C'est pas en devenant malade qu'un médecin soigne ses patients. T'as pas faim, toi?

– Si...

– Ben mange! et on en reparlera après!

Angèle prend un morceau de langouste, deux cuillères de riz, un gâteau.

– C'est tout?

– Arrête maman, je me sens déjà assez mal comme ça!

– Pourquoi ton Gilberto a-t-il faim?

– Son père n'a pas de travail, sa mère ne gagne presque rien. Ils vivent dans un taudis.

– Iracema t'a conduite chez lui?

– Oui, c'est son cousin.

– Elle est prof Terezinha, elle ne s'occupe pas de lui?

– Si, mais depuis quelques semaines ils l'avaient perdu de vue et ils ont beaucoup de pauvres dans leur famille. Peut-être qu'il a le choléra.

– Hein! Est-ce que tu l'as touché?

– À peine, le bout des doigts

– Tu t'es lavé les mains?

– Oui.

– Tu t'en vas?

– Excuse-moi, maman, je vais m'étendre un peu.

– Ça ne va pas?

– Si, si.

– Je bois mon café et j'arrive.

Angèle s'assoupit. Les cauchemars se succèdent : des taudis, des rats, des enfants affamés, des buffets débordants de nourriture qu'on la force à avaler et puis la soif, la chaleur, les frissons.

***

Ce matin, il fait beau, un ciel clair, les gens cherchent l'ombre. Dans sa chambre climatisée, Angèle a froid. Petit déjeuner calme. Songeuse, les yeux invisibles derrière la frange de cheveux, Angèle grignote des biscottes et boit un peu de lait.

– Tu n'as pas plus faim qu'hier?

– Je ne me sens pas bien.

– Tu n'as pas la diarrhée, le paludisme? Des moustiques, il y en avait chez Gilberto? As-tu la fièvre?

Florence pose sa main sur le front de sa fille.

– Non, cela paraît normal. Je ne veux pas que tu y retournes cet après-midi, Angèle.

– Je comptais lui apporter à manger.

– Reste à la plage, aujourd'hui les réunions de ton père finissent tôt, nous irons nous promener dans l'arrière-pays. Ça te tente?

– Gilberto?

– Iracema prendra soin de lui.

Quelques heures plus tard, Iracema et sa mère les retrouvent à la plage.

– Comment va Gilberto? demande aussitôt Angèle à Iracema.

– Tu pourras le voir cet après-midi.

– Non, nous allons à la campagne.

– Gilberto est au bout de ses forces, affirme Terezinha.

– Comment est-ce possible? On ne dépérit pas si vite, comme ça en pleine ville, à deux minutes des magasins, des hôpitaux, il n'y a personne pour s'occuper de lui en permanence? demande Florence.

– Nous allons chez lui ou il nous rend visite, mais depuis deux semaines pas de nouvelles. Jamais nous ne nous doutions de son état. Heureusement, son père a enfin trouvé un petit boulot de terrassier. Sa mère travaille tout le temps hors de la maison. Comme ses parents ne s'entendent pas bien, c'est lui qui en pâtit. Désormais, nous irons chez Gilberto tous les jours.

– Maman s'occupe déjà de plusieurs enfants dans une crèche, des enfants de la rue, ajoute Iracema.

– Tu sais Florence, au Brésil, certaines personnes prétendent que les pauvres le sont par leur faute, d'autres vous diront qu'il n'y a pas de pauvres dans ce pays, mais des paresseux, c'est ainsi au Brésil.

– Au Canada aussi. Je t'admire Terezinha. Tout cela doit te coûter cher. Je peux t'aider pour Gilberto?

– Non, c'est un cousin. Florence, je serais humiliée.

– Permets-moi au moins de payer la visite médicale.

– Gilberto serait effectivement mieux à l'hôpital.

– Eh bien! je vais faire ma part.

Florence glisse des billets dans le sac à mains de Terezinha.

– Tu me gênes, comment t'expliquer...

– Je t'en prie, nous sommes des amies.

– Il y a tant d'enfants à sauver, Florence. Je gâche tes vacances.

– Ne dis pas cela, Terezinha.

– Merci pour lui.

– Mon mari a annulé ses rendez-vous pour nous montrer la région, nous ne pouvons pas nous balader, tandis qu'un de tes cousins souffre autant.

– Ici, les enfants sont victimes de tant d'injustices... Iracema et moi, nous veillerons sur lui. Nous tenterons de le faire admettre à l'hôpital.

– Merci, murmure Florence.

– Sauvez-le, ajoute Angèle et, se tournant vers Iracema, elle lui pose la question qui lui brûle les lèvres depuis leur visite à Gilberto :

– Pourquoi voulais-tu que je rencontre Gilberto? Pour que je connaisse la misère, que j'arrête de me plaindre?

Iracema est étonnée.

– Non! non! je n'ai jamais songé à ça! Angèle, je me suis dit que tu allais être mon amie, et avec une vraie amie, on partage les bons et les mauvais côtés. Nous ne savions pas que Gilberto était dans cet état. Je suis désolée.

– Non! C'est à moi de m'excuser. On se connaît si peu.

– Pas de problème, *até logo!* dit en s'éloignant Iracema, qui s'efforce de sourire.

Chapitre six

Quel pays!

La jeep sort de la ville. Les gratte-ciel de Fortaleza découpent l'horizon, là-bas, vers le front de mer. Charles regarde la campagne d'un air blasé. Il regrette son équipe de volley-ball. Angèle pense à Gilberto. Sérieuse, Florence jette de temps à autre un coup d'œil vers son mari. Paul, c'est Charles en plus âgé, un peu dégarni, la silhouette plus enveloppée.

– Tiens, papa, peux-tu mettre cette cassette, mes copains brésiliens me l'ont passée.

– C'est quoi?

– Samba.

Charles se tourne vers sa sœur et ajoute :

– T'as pas l'air dans ton assiette, Barbie boudin.

– Je déteste cette expression, n'agace pas ta sœur, veux-tu? intervient Florence.

– Si on ne peut plus plaisanter, maintenant. Wow! Hey! C'est pas comme en
ville ici!

La jeep traverse un faubourg de
maisons en briques brunes, aux toits cou-
verts de feuilles de palmiers séchées. La
poussière vole derrière la jeep qui brin-
quebale au rythme de la samba.

– Certaines maisons ont une antenne
de télévision, pourtant, quelle pauvreté!
remarque Charles.

Angèle pense à Gilberto. Comment va-
t-il? Combien de Gilberto et de petites
filles malades dans ces maisons?

– Pourquoi sont-ils pauvres ces gens,
dans un pays si riche?

Silence du père.

– Pourquoi tu ne me réponds pas,
Paul?

– Charles, pourquoi au Canada il y a
aussi des pauvres? Je ne peux pas te
résumer cela en quatre phrases! Il faut
étudier l'économie de ce pays, son histoire... Regardez!

Devant eux, une côte à pic, des bambins marchent pieds nus sur la route. Il
fait plus de trente-cinq degrés et les enfants sourient malgré tout. Des femmes

portent des seaux d'eau et elles sourient aussi.

Angèle se retourne. Les silhouettes s'estompent dans la poussière.

La route est défoncée.

– Quelle verdure! L'an dernier la sécheresse sévissait, une catastrophe, la famine. Seules, les grandes exploitations pofitaient de l'eau. Les pauvres mouraient de soif et de faim, relate Paul.

Sur le bord de la route, la jeep frôle de longs rectangles blancs ou rouges.

– C'est quoi? interroge Charles.

– Des haricots, la base de l'alimentation. Ils les font sécher sur l'asphalte.

– Pourquoi?

– Parce qu'ils n'ont pas d'autres endroits, et l'asphalte chauffe vite au soleil.

– Oui, mais c'est dangereux, les camions passent près d'eux, et il y a beaucoup d'enfants.

– Effectivement, Charles, mais ils ne peuvent faire autrement.

– Ici, les petits travaillent tout le temps?

– Hélas oui, Charles, des enfants qui ne jouent pas.

– Hein?

– Ils n'ont pas de jouets. Regarde autour de toi! Ils transportent des sacs, de l'eau, du bois.

– Ils n'ont pas de vacances?

– Et aucun droit.

– Ben, pourquoi il y a des gens assis partout?

– Ils ne trouvent pas d'emploi. Personne ne veut d'eux, on les a remplacés par des machines. Ils ont perdu leurs terres à la suite de mauvaises récoltes.

– Papa, une station service, j'ai soif!

– O.K.! Charles, on arrête, sortez vous dégourdir les pattes!

Un enfant de dix ans, le visage couvert de cambouis, remplit le réservoir de la jeep. Un bambin, d'environ huit ans, s'assied sur le capot et nettoie le pare-brise gluant d'insectes. Des fillettes tendent des oranges déjà épluchées ou des bananes un peu trop mûres. Des vendeurs proposent des jouets en plastique, des bouteilles d'eau, de jus de fruit. Angèle se réfugie derrière ses mèches. Heureusement, à droite, arrive un gros autobus. Les vendeurs se ruent aussitôt aux fenêtres, essayant d'attirer le regard des passagers. Ouf! Angèle respire un peu. Elle boit une limonade.

Paul donne le signal du départ. Florence est la dernière à monter dans la jeep. Paul fait tourner le moteur. Un homme bouscule Florence.

– Quel rustre! Il pourrait faire attention! Oh! ma montre!

L'homme court, saute dans les broussailles. Un employé poursuit le voleur, mais les buissons ne sont que cactus et branches enlacées, le voleur connaît le chemin, lui.

Des gens en colère tendent le poing en direction de la brousse. Une femme prend délicatement le poignet de Florence.

– Elle exprime sa désolation, elle a honte, «ce n'est pas tout le monde ici qui est comme ça» dit-elle. Allez! on repart. On est tous sains et saufs, alors salut!

Et Paul lance la jeep.

Florence envoie un signe amical à la femme qui a le visage triste.

– Partout on rencontre des bons et des méchants, au Brésil ou au Canada, c'est hélas pareil, sinon, ce serait le paradis, explique Paul.

– Pourquoi il t'a volée?

– Quelle question, Charles! Quand tu n'as plus rien à manger, pas de maison, plus de famille, quand on t'a tout pris, tu risques de commettre des bêtises ou bien c'était tout simplement un voyou, voilà! Oublions-le!

Dix minutes plus tard, le volant tremblote dans les mains de Paul.

– Tout le monde descend! Crevaison!

Charles aide son père. Ils suent à grosses gouttes. Des enfants à vélo les saluent joyeusement.

– On les a dépassés tout à l'heure! Ça les fait rire! dit Florence.

Angèle s'assied sur une pierre en plein soleil.

– Regardez, regardez, en voilà un! crie Florence

– Un quoi? demande Paul.

– À droite! il est beau, un superbe!

– Mais de quoi parles-tu, maman? s'exclame Charles.

– Du cavalier, là! Quelle dignité! Je veux le photographier.

L'homme s'approche de la route. Il guide des vaches dans une savane aux herbes coupantes. Il est petit, sec, yeux noirs, air impérial.

Florence le salue de la main. L'homme lance un coup de fouet, et lentement, comme un chevalier rendant hommage à sa Dame, il ôte son chapeau.

– Quel chapeau original, rond, tout en cuir, retenu par une jugulaire, constate Angèle. Elle dévisage la silhouette énigmatique.

– Très adapté au climat. L'homme et le cheval ne sont que cuir, le visage du cavalier semble cuit par le soleil, note Paul.

– Étonnant, murmure Charles, ce n'est pas un cow-boy comme les autres.

– Les *vaqueiros* font corps avec leur monture. Hommes et bêtes naviguent ensemble dans cet espace calciné par le soleil.

– On se croirait dans un film, ce personnage est un roi ou la mort, quelle vision, murmure Florence!

Florence photographie. Le cavalier n'esquisse même pas un sourire. Noble, il repart sur son cheval nerveux qui lève un voile de poussière. Angèle pense intensément à Gilberto, est-ce un mauvais présage?

Un serpent se laisse tomber d'une branche et s'écrase sur le pare-brise.

– Quel pays! Maintenant il pleut des serpents, soupire Angèle en mordillant une mèche de ses cheveux.

– C'est ma quatrième visite et il me semble que je ne connais rien de cette terre, dit Paul en envoyant de l'eau sur la vitre.

– Dommage qu'un pays si grand, peuplé de gens si divers, ait encore autant de pauvres, répond Florence.

Angèle a hâte d'avoir des nouvelles de Gilberto, un chevalier mystérieux, un serpent, lui semblent des signes inquiétants.

Chapitre sept

Cauchemar

Le lendemain, sur le chemin de la plage, Florence, Charles et Angèle rencontrent Iracema et Terezinha.

– *Bom dia! Tudo bem?*

– Bien, répond Angèle, comment allez-vous?

– *Tudo bom!*

– Et Gilberto?

Iracema baisse les yeux.

– Comment va-t-il? insiste Angèle.

– Le médecin était en colère lorsqu'il l'a examiné.

– Pourquoi? demande Florence.

– Il dit que c'est une honte, que les enfants ne devraient pas souffrir, que Gilberto est une victime innocente. Selon le médecin, Gilberto va rapidement s'en sortir. Déshydratation avancée, diarrhées, mauvaise nutrition, hygiène déplorable, tout peut se corriger, mais il ne fallait pas attendre.

Elles s'asseyent sur le sable.

Charles court vers ses copains.

Sous la brise douce, la mer danse, le sable est chaud, une musique vient d'un bar éloigné, on sent une joie de vivre ici, aux bords des flots.

– Terezinha, j'aimerais que nous fassions une balade en voiture, tous ensemble. Connais-tu un coin charmant?

– Florence, tu es trop aimable.

– J'insiste.

– Il y a, au sud de la ville, un endroit que j'aime beaucoup, un beau jardin privé, on y entend des oiseaux, la végétation y est magnifique.

– D'accord!

– Nous profiterons de la fraîcheur du soir, ce sera très agréable. Pendant ce temps, Iracema passera à l'hôpital. Elle nous retrouvera sur la plage, déclare Terezinha.

Cinq heures de l'après-midi. Florence conduit la jeep. Le soleil commence à descendre à l'horizon.

En raison de travaux sur la route, les véhicules sont déviés vers une autre banlieue. Terezinha n'apprécie pas ce détour.

La jeep traverse une zone misérable. La chaleur est encore oppressante.

Ils quittent la route asphaltée et croisent des camions chargés de détritus. Une fumée âcre pique les yeux, irrite la gorge. Charles et Angèle toussent. Sur le bord de la route, des gens mal vêtus portent des pneus, des boîtes de carton, des sacs.

Le moteur de la jeep toussote, s'essouffle.

– Nous avons un problème, ronchonne Florence.

Quelques secondes plus tard la voiture s'immobilise.

Florence ouvre le capot. Aussitôt deux hommes viennent voir ce qui se passe. Ils ne sentent pas bon, et ont l'air de clochards. Déjà il y en a un qui joue avec des fils électriques.

– Ils disent que c'est l'essence qui n'arrive pas à la pompe, traduit Terezinha, et qu'ils peuvent réparer ça, mais qu'il faut être patients.

Angèle n'ose pas bouger. Une boue nauséabonde entoure la jeep. Venus de la ville, les camions déversent les ordures de l'autre côté de la route. Les véhicules

repartent aussitôt en soulevant une fange
noire et en remuant une odeur infecte.

Dès que les bennes se vident, un
groupe en haillons se rue sur les im-
mondices. À coups de pics et de crochets,
ils fouillent et trient les ordures. Devant
Angèle, un enfant d'environ six ans, ra-
masse des boîtes d'aluminium. Il n'a pas
de souliers, et porte un short trop large. Il
avance, torse nu, les bras maigres. De ses
mains sales, il ouvre une bouteille, avale
quelques gorgées. Il replace sa bouteille au
milieu du tas de boîtes coupantes empi-
lées dans sa brouette.

Plus loin, des silhouettes s'agitent
parmi les déchets. Au-dessus d'elles, pla-
nent des oiseaux noirs. Les phares, les
lampes de poche, les lumières des bulldo-
zers, zèbrent le crépuscule. Des ombres
velues glissent entre les jambes de Charles.

Florence et Terezinha parlent avec les
réparateurs.

Angèle est toujours immobile devant
l'enfant qui trie les ordures. Il ne la regarde pas. Il sue à grosses gouttes, ses
pieds nus s'enfoncent dans la boue.

Angèle et Charles n'en peuvent plus,
ils remontent dans la jeep. Les mouches et

les moustiques s'engouffrent dans la voiture.

– Cauchemar! soupire Charles. Cette puanteur nous colle à la peau!

Florence et Terezinha sont troublées par ce qu'elles voient. Les réparateurs sourient, demandent à Florence de démarrer le moteur. Tout tourne à merveille.

Les mécaniciens applaudissent, se donnent d'amicales tapes sur les épaules. Florence redescend et demande combien elle leur doit.

Terezinha traduit :

– Ils ne veulent rien.

Florence sourit. Elle glisse un billet dans la main de l'un des hommes. Il regarde l'argent, et remercie en baissant la tête. Les hommes s'en vont en saluant amicalement. On repart!

Florence conduit en silence. On dépasse des gens, de tous âges, courbés sur leur pitoyable butin.

Charles pousse le disque dans le lecteur. Terezinha hoche la tête :

– Tu as raison Charles! La vie doit l'emporter, toujours. Tout à l'heure, l'enfant, il ne pleurait pas et pourtant, il en avait le droit, et c'est nous qui pleurions.

C'est ça aussi le Brésil, la musique même dans la misère! Bon, avec tous ces détours je suis perdue.

– Et si on rentrait, suggère Florence.

– Moi qui t'avais promis un jardin pleins d'oiseaux, j'ai manqué mon coup, il y a trop de travaux aujourd'hui, je suis d'accord avec toi, on rentre, répond Terezinha.

La jeep pénètre de nouveau dans les beaux quartiers. Les lumières, les magasins, la foule, animent les rues rafraîchies par la brise océane.

– Même s'il est un peu tard, allons sur la plage, propose Terezinha, j'y avais rendez-vous avec ma fille. Voici Iracema! Elle a dû aller à l'hôpital, j'ai hâte d'avoir des nouvelles de Gilberto.

Chapitre huit

Quelle crise!

– Alors Iracema, comment va Gilberto?

– Il renaît! Il est faible, s'alimente lentement et dort beaucoup. On lui administre en permanence des solutés. Les infirmières s'occupent bien de lui. Le docteur râle contre «ces maladies qui ne devraient plus exister de nos jours, et dont nous sommes tous responsables, c'est scandaleux», répète-t-il.

– Gilberto est sauvé, juste à temps, soupire Terezinha.

Jamais Angèle n'a autant apprécié la chanson des vagues et la fraîcheur marine.

– Qu'en penses-tu, Angèle, et toi, Charles de ce que vous venez de voir au dépotoir?

À part «bonjour, bonsoir», pour la première fois Iracema s'adresse à Charles.

– Ça bouleverse.

Charles ne commente pas plus.

Les vagues bondissent et s'étalent sur la plage.

– Regarde, Iracema!

– Quoi, Angèle?

– Ici, on glisse sur les étoiles. Leur reflet danse sous nos pieds. Là-bas, les gens croupissent en enfer.

– Et c'est dans ma ville! soupire Iracema. Beaucoup de gens sont indifférents à la détresse des autres.

– Il y a tant de misère sur la Terre, affirme Angèle.

– Plus tard je serai économiste, je dénoncerai les situations anormales, je proposerai des solutions, déclare Charles.

– Explique-moi, dit Iracema.

– Des pauvres, il y en a de plus en plus dans le monde, même chez nous, et ce n'est pas dû qu'à la pluie et au beau temps, mais aussi à ceux qui prennent les autres pour leurs esclaves. Je pourrai aider les démunis.

– Je serai professeur, affirme Iracema. Le soir, je serai bénévole, j'enseignerai gratuitement, comme ma mère.

– Moi, je ne sais pas encore, répond Angèle. Si j'avais du talent, j'écrirais pour que disparaisse ce scandale.

– Est-ce que nous nous reverrons? demande Iracema.

– J'espère que papa aura un autre contrat ici, affirme Charles.

– Avant notre départ, profitez de la plage. Le temps passe si vite!

Cette remarque de Florence laisse tout le monde perplexe. Il ne reste plus que quelques jours avant le retour. Angèle est songeuse, maintenant elle aime vraiment ce pays et Iracema est son amie.

– Si tu prétends vouloir aider les autres, Charles Lachance, ben descends de tes hauteurs, et respecte les gens à commencer par moi, fini la Barbie boudin!

– Wow! Qu'est-ce que t'as mangé Angèle?

– La même chose que Gilberto, de la misère! Et c'est toi, entre autres, qui me l'a servie!

– Moi?

– C'est pas parce que t'es fort physiquement que tu dois m'imposer ton jugement et que tu peux m'humilier!

– Je m'excuse! Je t'appelais Barbie en riant, mademoiselle n'a pas le sens de l'humour.

– Non! Non! Tu me dominais et t'étais heureux de ça! J'en ai ras le bol! Je mérite d'être écoutée!

– Eh ben! Quelle crise!

– C'est pas une crise! C'est la révolution, mon cher! Va falloir que tu t'habitues.

– C'est Gilberto qui t'a dit ça?

– Lui ou moi, c'est pareil, la souffrance c'est pas normal!

– T'es amoureuse de lui!

– Charles, t'es complètement idiot!

– Hey! arrête-là!

– Tu vois ce que cela fait quand on insulte quelqu'un. Je ne suis pas une Barbie et pas un boudin! Terminé! Une personne humaine, que je suis! J'ai droit au respect!

– Je ne pensais pas...

– Ben t'aurais dû Charles Lachance!

– Je t'aimais mieux avant.

– Le roi vient de perdre sa couronne.

– Explique.

– Pas besoin.

Charles est abasourdi, il hausse les épaules :

— Ben pourquoi tu boudes tout le temps ?

— Je ne boude pas Charles ! Je me retire quand on m'attaque, me blesse. Vous vous y mettez tous, un par un pour me dévaloriser.

— Tu charries ! Nos parents sont corrects, même avec toi ! Je vais essayer de changer. Évidemment quand on voit Gilberto et les autres... Mais que tu aies de la peine à cause de moi ? Il faut avoir de l'humour tout de même. Si on ne peut plus rire de rien !

— Pas de moi !

— O.K., compris.

Pour une fois c'est Charles qui fait la moue, et Angèle qui sourit.

Les derniers jours sont vécus intensément, Charles et les filles rendent de fréquentes visites à Gilberto, qui va mieux. Promenades dans la ville avec Iracema, baignades, achats de quelques souvenirs, pour Catherine, l'amie restée à Montréal.

Charles tente d'être aimable, il en est comique. Angèle le laisse progresser.

Voici le temps du départ, les adieux sont déchirants. L'avion s'arrache de la piste. Iracema, les yeux en larmes, suit le plus longtemps possible la carlingue luisant au soleil. Assise dans la cabine froide, Angèle réfléchit à ses étranges vacances, à Iracema, son dernier sourire et son chagrin, à Gilberto qui de son lit d'hôpital leur envoyait à tous un au revoir de la main.

Chapitre neuf

Une idée un peu folle

Angèle écrit plusieurs fois à Iracema. Ses lettres restent sans réponse, peut-être se perdent-elles.

Maintenant c'est la rentrée scolaire. Ses devoirs finis, Angèle regarde parfois les photographies du Brésil, pas trop souvent, cela la rend mélancolique.

À l'école, peu d'amies s'intéressent à son voyage.

– Je ne sais même pas où est le Brésil, et on n'a pas le temps de s'occuper des problèmes de tout le monde, lui réplique-t-on.

Cette attitude, Angèle la retrouve souvent chez les adultes, mais pas chez sa maîtresse d'école qui est une passionnée de voyages, ni chez Catherine, qui partage tous les secrets d'Angèle.

Enfin une lettre! Iracema donne de bonnes nouvelles de Gilberto, il va mieux, il est sorti de l'hôpital. La famille d'Iracema lui apporte à manger. Les parents de Gilberto sont plus souvent à la maison. Bientôt Gilberto pourra reprendre le chemin de l'école.

Noël passe. C'est le premier noël où Angèle et Charles s'échangent des cadeaux et l'idée est venue de Charles! Elle a reçu de lui des disques de musique brésilienne moderne. Elle lui a offert un livre de photographies de ses joueurs de basket favoris.

Angèle songe toujours au Brésil, à ses amis.

En ce mois de février, la pluie verglaçante croûte la neige, perturbe la circulation, tourmente les conducteurs. Montréal plonge dans la grisaille. Les pneus chuintent sur la glace. Les automobilistes grattent leur pare-brise. Les rues deviennent des patinoires.

— Le temps afflige les gens, constate Catherine.

— Depuis que je suis revenue du Brésil, j'ai remarqué qu'ici, les gens sont soucieux, peut-être plus que Gilberto ou Iracema. Eux, ils se plaignent rarement.

– Tu te souviens comment tu étais avant le Brésil?

– Où veux-tu en venir?

– Ton voyage t'a changé. Gilberto, devrait s'adresser à notre école et montrer pourquoi il se bat. Je me disais que ce sont souvent les touristes du nord qui partent se reposer sous les tropiques. Les gens de là-bas ne vont presque jamais dans les pays du nord pour se détendre. Pourtant ils sont plus fatigués que nous. Des stagiaires de chez nous voyagent partout, mais peu d'élèves vont du Sud vers le Nord. Est-ce que tu me suis?

– Euh! Oui, le Sud, le Nord, oui, oui!

– Pourquoi Gilberto et Iracema ne seraient-ils pas reçus ici?

– J'y ai déjà songé! C'est irréalisable!

– Je ne crois pas, Angèle, parlons-en à Sophie, la maîtresse.

Lorsqu'elles entrent dans la salle des professeurs, Catherine et Angèle sont intimidées, comment exposer leur idée? Catherine remarque qu'Angèle ne se cache plus derrière l'écran de ses cheveux et que c'est elle qui fonce :

– Nous deux, on pense que l'on pourrait inviter Iracema et Gilberto ici, propose Angèle.

– Hein? s'exclame Sophie.

Les autres profs se retournent. Il y en a qui sourient, ou feignent ne rien entendre et, la tête dans leurs livres et cahiers, n'en perdent pas une.

– C'est Gilberto qui m'a le plus aidée et il m'encourage encore.

– C'est vrai que je ne t'ai jamais vue aussi motivée que depuis ton retour du Brésil. Mais il y a beaucoup de questions, quel est votre objectif en les invitant ici?

– Objectif? Mon père me demandait toujours quels étaient mes objectifs. Ça veut dire quoi au juste?

– Tes buts! Tu ne déplaces pas deux personnes, dont l'une en convalescence, pour rien!

– Oh! Gilberto va beaucoup mieux! Et c'est pas pour rien!

– Explique-moi.

– Pourquoi c'est toujours nous qui allons dans le Sud? Les gens ne se posent pas de questions quand ils se rendent au Mexique ou ailleurs au soleil. Pourquoi deux Brésiliens ne pourraient pas venir ici en plein hiver sans que l'on se triture le cerveau pour savoir à quoi sert leur voyage!

– Angèle, cela coûte cher!

– À part les billets, pas tant que ça.

– Admettons, ce n'est tout de même pas rien, deux billets aller et retour. Je reviens aux objectifs.

– Mes parents, lorsqu'ils m'ont forcée à les accompagner, ils ne se sont pas demandé quels étaient leurs objectifs pour moi!

– Détrompe-toi Angèle, ils avaient sûrement une petite idée!

– Comme?

– Te confronter à une nouvelle culture, apprendre, les voyages forment la jeunesse.

– Ben, vous venez de les nommer mes objectifs, madame!

– C'est peut-être pas suffisant.

– Ben madame, si c'était suffisant pour mes parents?

– Ton projet n'est pas que personnel, si tu nous le présentes, c'est que tu veux qu'il implique aussi l'école, il faut rédiger un dossier à ce sujet.

– Wouach!

– Et payer leur voyage, tes parents vont-ils leur offrir le transport?

– Non.

– Qu'est-ce qui te motive tant, Angèle?

Catherine est muette. Angèle est aux bords de la crise de nerfs. Les yeux de Sophie sont comme des billes. La maîtresse voit tout, et a des réponses qui glacent. Les autres professeurs savourent la scène. Angèle a envie d'exploser.

– Je voudrais les revoir! Qu'ils sachent où nous vivons, quelle est notre culture. Quand on a des amis, on veut les rencontrer et puis, je ne sais pas comment dire...

– Vas-y!

– Bon, euh! il me semble, je me trompe peut-être, mais ils pourraient nous aider à mieux apprécier ce qu'on a, à comprendre certaines choses.

– Comme? insiste gentiment Sophie.

Il y a des profs qui ricanent, d'autres qui hochent la tête affirmativement, un barbu triture ses poils en riant.

– Nous changer, moi, j'ai eu la change de chancer, euh! la chiance de chanter, j'arriverai pas à le dire... vous m'intimidez tous.

– Hum! Hum! pouffe le barbu.

– T'es plus comme avant, quoi! glisse Sophie.

– Oui, grâce à eux.

– Et tu aimerais que l'école bénéficie de leur témoignage.

– Exactement, madame. Iracema a déjà vécu au Canada, elle pourrait traduire pour Gilberto et le rassurer. On ne peut pas tous aller au Brésil, qu'ils viennent eux! Ce serait un beau cadeau.

Sérieuse, Sophie prend des notes sur une feuille.

– Ça, se sont des objectifs, pédagogiques en plus, pour toute l'école. Angèle, je pense comme toi, que Gilberto a des enseignements à nous donner, affirme Sophie.

Angèle soupire. Catherine n'a plus l'air d'une momie. Sophie continue :

– Votre idée est très originale, pourquoi pas? Mais est-ce indispensable de les accueillir ici?

– J'avoue que c'est une idée folle, soupire Angèle. J'aime mes amis du Brésil et j'aime le Brésil.

– Faudra y réfléchir, cela requiert beaucoup d'argent.

– On est nombreux à l'école, insiste Catherine.

– Le Brésil, c'est loin et tout le monde s'en fout, lance le barbu.

– Hélas, mon collègue n'a pas totalement tort, qui les hébergerait?

– Mes parents!

– Tu leur en as parlé?

– Non.

– Hi! Hi! glousse le barbu.

Certains profs lèvent les yeux au ciel, comme si soufflait un vent de délire.

– Je ne rejette pas la suggestion, on va s'en reparler demain, la nuit porte conseil, déclare Sophie.

– Au revoir, madame.

Elles sont à peine sorties, la porte est encore entrouverte, que l'on entend des réflexions négatives :

– Sophie! Tu n'y es pas du tout! C'est du bénévolat pur et simple! Ce n'est pas dans notre tâche, l'administration dira que la preuve est faite, on peut travailler plus! Ce sont des rêves de gamines, sois réaliste! Qu'est ce que cela va apporter aux jeunes du Brésil? Ces bambins des tropiques n'ont rien de si important à dire à nos élèves. Un bon film sur le Brésil suffirait à sensibiliser les classes.

C'est sur ces réflexions que Sophie retourne chez elle sous la pluie verglaçante. Les élèves, dont Angèle et Catherine, chaudement emmitouflées, montent dans les autobus scolaires givrés. Sophie est prudente. Tout le long de sa route, les conducteurs ont le visage renfrogné, les lèvres en mauvais accent circonflexe, surmonté d'une barre ornant leur front. Leurs mains se crispent sur les volants. La radio annonce un temps encore pire pour la nuit. Sophie éteint le poste. Elle pense à l'idée d'Angèle et de Catherine. Dans le rétroviseur, elle remarque qu'un sourire éclaire son propre visage. Des chauffeurs lui jettent un coup d'œil, on peut aisément lire leur opinion : « Pour être heureuse par un temps pareil, faut être dingue, pas d'autres explications! »

Chapitre dix

Au travail!

Le lendemain, Angèle et Catherine attendent la décision de Sophie.

– Un voyage aller-retour Brésil-Québec coûte une fortune! Il n'y a pas d'argent, ni à l'école, ni au gouvernement pour de tels projets.

Angèle et Catherine sont sous le choc. Sophie ajoute :

– Le projet repose intégralement sur vous! Si vous voulez que Gilberto et Iracema viennent ici, il vous faudra trouver l'argent! Comment comptez-vous y parvenir?

– Toutes sortes de collectes, répond Angèle.

– C'est-à-dire?

– Vendre des chocolats, des pains, des gilets, des bracelets.

– Former un comité à l'école, recueillir des bouteilles consignées qui traînent chez les gens, plein d'activités de ce style, affirme Catherine.

— Et pourquoi voulez-vous qu'ils effectuent ce long voyage?

— Oh! non! madame on recommence pas la discussion, parce que j'aime mes amis du Brésil!

— Ne te fâche pas Angèle. Il va falloir que vous soyez dynamiques et motivées, l'administration de l'école a besoin d'être convaincue. Il y a des démarches à effectuer auprès des autorités brésiliennes, des compagnies aériennes, s'occuper des assurances, monter le dossier pour l'administration, faire approuver le projet, ce n'est pas garanti, mais on va s'arranger avec tout ça.

— Je ne pensais pas que c'était si compliqué, soupire Catherine.

***

Angèle, Catherine, Sophie, le comité Brésil, sont au travail depuis un mois. Il a fallu beaucoup de patience et d'énergie. On a ouvert un compte à la banque pour déposer l'argent. Même le professeur barbu s'implique, il a acheté plusieurs tee-shirts et il les porte fièrement. L'atmosphère de l'école a changé et ce n'est pas dû au fait que la neige est de retour, belle et éclatante au soleil, c'est grâce au comité Brésil. Un groupe, qui ne fait pourtant pas partie du comité, a dessiné une grande carte du Brésil avec Fortaleza en gros dessus et des cocotiers et la mer. On accroche la carte dans le couloir principal, bien en vue. Des familles ont, plusieurs fois, acheté des pains vendus par les élèves. Au bout de ce mois de labeur, le rêve devient réalité, les billets d'avion pour Gilberto et Iracema sont payés, comptant!

Tout le monde n'a pas été convaincu par cette initiative. Des portes sont restées fermées ou ont été claquées au nez des élèves. Il y eut des remarques méchantes. À l'école, des vandales ont déchiré la carte. Il y en a qui se moquent ouvertement du projet, qui trouvent cela «niaiseux».

Angèle a peur, comment vont réagir ses amis brésiliens, vont-ils être mal vus par certains? Et les gens du comité qui travaillent tant, ne vont-ils pas être déçus?

Gilberto sera-t-il assez fort physiquement pour effectuer un si long voyage? N'est-ce pas trop lui demander et trop tôt?

La direction de l'école d'Angèle, sur les recommandations des services de santé canadiens, ont exigé que le médecin de Gilberto certifie que son patient ne présente aucun risque de contagion. Que de démarches pour Sophie qui pilote le projet Brésil, que d'incertitudes pour Angèle et Catherine! Finalement, un document officiel rassura tout le monde, Gilberto a obtenu l'autorisation médicale de venir au Canada! La direction de leur école de Fortaleza a accordé un congé spécial «pour stage à l'étranger» à Gilberto et Iracema.

Jamais Angèle n'aurait pensé que des vacances au Brésil bouleverseraient autant sa vie. Il faudra accueillir et héberger dignement ces amis, prévoir des sorties et des distractions pour eux. Angèle ne soupçonnait pas l'ampleur des préparatifs. Tous les membres de la famille d'Angèle, Charles y compris, ont échangé des idées, discuté gentiment. Angèle a appris le sens des mots planification et concertation.

Dans une semaine, ils seront là! Fébrile, Angèle se demande si elle sera à la hauteur. Comment bien recevoir deux personnes que l'on connaît peu et dont une n'a jamais vu l'hiver? Il est trop tard pour se poser des questions!

Arrivée prévue : demain. Angèle sera responsable de ses invités pour deux semaines.

Chapitre onze

Enfin là!

Angèle et ses parents, Catherine et Sophie, attendent à l'aéroport de Dorval. L'avion de Miami atterrit dans quelques minutes.

Sont-ils dans l'avion? N'ont-ils pas manqué leur correspondance à Miami? Comment a été le voyage?

Les passagers sortent un à un. Des gens s'embrassent. Des bronzés, des gros, des petits, des surchargés de sacs, des étudiants, des enfants étonnés, des cheveux longs, des courts, défilent et les voilà!

Iracema envoie de grands signes de la main. Gilberto suit, on dirait qu'il a grandi. Sérieux, encore maigre, il porte un petit sac sur son dos, comme Iracema. Gilberto aperçoit Angèle, il la salue de la main. Il marche lentement, Angèle pleure de joie, Iracema tombe dans les bras de son amie. Gilberto les rejoint. Catherine retient des sanglots. Elle regarde les trois amis, jette un coup d'œil aux parents d'Angèle, ils sourient. L'institutrice, elle aussi, est heureuse. Catherine se retourne vers Angèle, qui pleure. Gilberto vient de si loin, plus loin que le Brésil. Les yeux de Catherine se brouillent. Elle ne peut plus retenir ses larmes. Iracema, Gilberto sont enfin là, et Angèle lui dit que c'est grâce à elle, Catherine, qui a travaillé si fort et aussi à Sophie. L'émotion est à son maximum. Les pleurs mêlés de rires attirent l'attention des autres voyageurs.

– On va récupérer vos bagages, annonce Sophie.

– Nous les avons sur les épaules, répond Iracema.

Sophie est interloquée, ils n'ont que leurs petits sacs à dos.

En cette fin d'après-midi de mars, le petit groupe joyeux se rend vers le stationnement.

– Iracema et Gilberto, vous êtes nos invités, annonce maman Florence.

– Nous vous souhaitons la bienvenue, ajoute papa Paul. Charles est en finale de volley-ball, il sera là demain, il vous transmet le bonjour!

Les yeux grands ouverts, Gilberto découvre une terre inconnue. Iracema essaie de reconnaître la ville où elle a vécu.

Chapitre douze

Palmiers dans la neige

On profite du week-end pour visiter Montréal et se reposer. Angèle et Charles prêtent leurs vêtements les plus chauds. Le froid saisit les jeunes voyageurs, même Iracema qui a pourtant passé déjà quelques hivers dans cette ville. Les yeux brésiliens s'émerveillent devant le pont Jacques Cartier, tendu au-dessus des eaux glacées du Saint-Laurent. On fait un petit tour dans le métro bleu. On contemple le panorama offert au sommet du mât, audacieusement incliné, du stade olympique. On se promène dans le parc du Mont-Royal, entre les arbres poudrés et sous les yeux espiègles des écureuils gris. Souvent, Gilberto touche et admire les cristaux.

Les parents d'Angèle montrent aux Brésiliens comment bien s'habiller et se protéger du froid. Dès que l'on se roule dans la neige ou que l'on se lance des boules, la chaleur revient. Iracema et Gilberto veulent se faire photographier dans la blancheur.

Angèle et Catherine font visiter leur école à leurs amis du Brésil. En accord avec Sophie, elles organisent une rencontre avec les trois classes d'élèves dans l'agora de l'entrée principale.

Au début, tout le monde est intimidé. Les élèves n'osent pas poser de questions. Gilberto et Iracema hésitent à répondre. Souvent Gilberto, qui a appris un peu le français en compagnie de Terezinha et d'Iracema ne comprend pas, alors Iracema traduit.

Subitement toutes les questions fusent en même temps :

— Qu'est-ce qui vous a le plus surpris à votre arrivée au Canada?

— La neige! répondent les deux voyageurs en même temps.

— Avez-vous des immeubles aussi hauts, chez vous?

— *Sim!*

— Les voitures, est-ce que se sont les mêmes?

— *Sim,* avec des voitures «coccinelles» en plus, qu'on appelle *fuscas.*

– Êtes-vous allé en Amazonie?

– *Não*, c'est trop loin pour nous.

Les questions se poursuivent jusqu'à ce que les cours reprennent normalement. Iracema et Gilberto restent dans la classe d'Angèle et de Catherine.

À la fin de leur première journée à l'école, les Brésiliens sont un peu fatigués, surtout Gilberto, le voyage, le dépaysement et l'accent, tout le déroute.

– Ce que je préfère : jouer dans la neige, à la récréation, dit en souriant Gilberto.

Il promet à Iracema, que dans quelques jours, il s'exprimera mieux en français. Chaque soir, Gilberto ne manque rien à la télévision, qu'il n'a pas chez lui. Il est très intéressé par le hockey qui s'apparente selon lui au football, le sport roi du Brésil. Il connaît rapidement le nom des joueurs. Charles est un très bon guide pour ce sport.

– Mais comment tiennent-ils debout sur deux lames?

– Gilberto, tu essaieras demain à la patinoire, affirme Charles.

Le lendemain Gilberto découvre l'ambiance d'une patinoire, la rapidité des patineurs, leur style, les bruits inhabituels, les couleurs, les masques des gardiens de but. Charles équipe Gilberto qui patine pour la première fois de sa vie! Il se tord les chevilles, tombe, se relève, retombe. Gilberto rit, repart, s'étale majestueusement sur la glace, rit encore. Charles se demande si c'est bien le même Gilberto qui était, il y a peu de temps encore, malade dans un taudis.

Gilberto, en sueur, revient à la maison.

– Je ne pensais pas avoir chaud au Canada en hiver!

Iracema, Catherine, Angèle écoutent les derniers succès musicaux.

Trois jours plus tard, Florence et Paul amènent tout le monde pêcher sur la glace. Ils pêchent au travers de trous creusés dans une rivière gelée. Iracema est fascinée par l'éclat des cristaux, l'épaisseur de la glace, le calme qui les entoure dans une baie abritée du vent. Gilberto s'émerveille : des motoneiges et des voitures circulent sur la rivière blanche.

Il neige, depuis quatre jours. Gilberto constate qu'il y a des gens heureux, les sportifs, qui vont skier, et les gens déçus, ceux qui sont retardés dans leur voiture, ceux qui ne mettent jamais le nez dehors.

Dans les couloirs de l'école, Iracema entend des propos curieux :

– Vous avez de la chance, chez vous il ne neige jamais. Nous, on a des hivers trop longs. Vous avez le climat idéal, les cocotiers, les plages, les vacances, leur dit-on souvent.

– Parfois, dans le Sertão, l'arrière-pays, la chaleur est si intense, que des gens meurent, d'autres ont soif. En raison du vent et de la sécheresse, les pauvres souffrent beaucoup, explique alors Iracema.

– Mon père dit que vous, dans le Sud, vous êtes mal organisés et paresseux!

Iracema est sur les dents. Catherine rougit, Angèle serre les poings. Un autre élève en rajoute :

– Vous venez chez nous, à nos frais, nous on pourra jamais aller au Brésil.

Gilberto feint de ne pas comprendre. Sophie intervient :

– Tu as le droit de t'exprimer, mais moi je vais vous parler dans les yeux tout à l'heure. Je crois qu'il y a des faits à expliquer.

– Ben moi, je voudrais dire une chose, annonce un tout petit, vous les Brésiliens, vous coupez la forêt, et la forêt c'est le poumon de la Terre!

– On ne réglera pas tous ces problèmes en cinq minutes. On va faire une mise au point là-dessus ensemble, et vous poserez vos questions demain à nos amis, déclare sèchement Sophie.

Angèle et Catherine sont muettes, Iracema et Gilberto n'ont pas l'air affectés.

– Je suis désolée pour les remarques désagréables, dit Angèle à Gilberto et Iracema, dans l'autobus scolaire qui les reconduit à la maison.

– *Tudo bom!* répond en souriant Gilberto qui admire un cycliste en vélo de montagne dans la neige fraîche.

– Même chez nous, des gens pensent ainsi, répond Iracema à Angèle.

– Demain, il va y avoir une grosse discussion à l'école, je suis inquiète.

– De quoi, Angèle?

– Que certains élèves ne soient pas gentils avec vous.

– Il ne s'agit que d'une poignée, intervient Catherine. Je vais leur voler dans les plumes.

Iracema rit. Gilberto est captivé par la neige qui tombe sans fin et par l'habileté des chauffeurs. En plus, ce soir il y a une excellente partie de hockey, Montréal contre New York. Ce n'est pas lui qui va se tourmenter pour la réunion de demain. En revanche Angèle et Catherine sont nerveuses.

Chapitre treize

Tension dans le public

Cet après-midi, réunion des grands de plusieurs classes dans la salle des spectacles. Iracema et Gilberto se tiennent derrière le micro. Catherine et Angèle les entourent. Parmi la petite foule, Sophie fera office d'animatrice ou de modératrice. Le comité Brésil a décoré les murs. On a même trouvé des drapeaux du Brésil. Iracema et Gilberto sont surpris et fiers de voir leur drapeau ici. On vient d'entendre un excellent disque rock-pop qu'Angèle avait rapporté de Fortaleza.

Malgré les rythmes modernes, une tension négative émane du public. Angèle aimerait être vieille de plusieurs heures. Elle a envie de rabattre ses cheveux sur ses yeux pour s'isoler, ne rien voir, ne rien affronter, elle se retient.

– Allons-y avec les premières questions, lance Sophie d'une voix invitante.

Personne ne veut briser le silence pesant.

– Ça fait une semaine que vous vivez dans notre pays, qu'en pensez-vous? demande le professeur barbu.

Iracema n'a pas besoin de tout traduire, Gilberto comprend un peu mieux, même s'il connaît plutôt des expressions de hockey!

– On aime bien, répond timidement Iracema.

– Quoi? insiste le professeur barbu.

– Les parents d'Angèle nous reçoivent très bien.

– Et on a plusieurs amis ici maintenant, ajoute Gilberto. Moi, j'adore le hockey!

– Est-ce qu'il y a des choses que vous n'aimez pas? La question émane d'un élève un peu mystérieux.

Angèle flaire un piège.

– On n'a rien à dire à ce sujet, répond Iracema.

Angèle soupire.

Songeur, Gilberto intervient. Iracema traduit aussitôt :

– Dans notre quartier pauvre, les gens ont peur, sont méfiants, mais généreux, ils se parlent plus qu'ici. Moi, ça me manquerait beaucoup, un petit geste de la main. Charles, et les gars qui jouent avec nous au hockey dans la rue expriment leur amitié comme nous au Brésil.

Le discours de Gilberto surprend Angèle.

– Ne le prenez pas mal, poursuit Gilberto toujours en portugais, mais il me semble que les jeunes, ici, ne sont pas aussi respectueux envers les personnes âgées que chez nous.

– Wouaw! s'écrie un gars du dernier rang. Es-tu respectueux avec les Indiens, toi, au Brésil, vous les martyrisez!

Un courant électrique passe sur l'auditoire.

– T'es qui toi, l'étranger, pour nous donner des leçons? rajoute un autre en grimaçant.

Sophie calme les élèves. Mais Gilberto continue et Iracema s'essouffle à traduire.

– Moi, je crois aussi que beaucoup d'entre vous sont trop gâtés!

Silence dans la salle, rien qu'une étincelle et une engueulade royale se déclencherait. Gilberto ne se laisse pas impressionner :

– Il y en a qui ne savent même plus dans quel luxe ils vivent. Ils font les difficiles à propos de leurs repas, ils râlent contre leurs parents, leur école. J'en ai vu des gars comme ça, chez nous et dans l'avion et dans vos restaurants. En plus, il ne faut pas le leur dire, aux gâtés, parce que cela les traumatiserait.

Certains se lèvent et vont partir. Le prof barbu murmure à une collègue :

– Quelle maturité pour un jeune. On voit qu'il a eu le temps de réfléchir durant ses épreuves.

– Peut-être que je peine des gens, c'est pas mon but, moi, j'ai pas d'ennemi, je ne suis pas là pour faire le malin, j'ai failli mourir et je sais ce qui est important.

Parmi ceux qui allaient quitter la salle, il y en a un qui crie par défi :

– Raconte!

Et Gilberto d'expliquer pourquoi ses parents ne réussissent pas à le nourrir, à le vêtir, que lui, et des milliers d'enfants ne peuvent pas fréquenter l'école, que l'on ne gaspille pas la nourriture si rare :

– Au restaurant, où les parents d'Angèle nous ont invités hier, un enfant refusait de manger. Il a même répliqué à

ses parents que le repas était «dégueu»!
Ça, je ne l'ai jamais entendu dans ma rue!

– Il n'y a pas de riches au Brésil?
grogne un élève.

– Si, au Brésil aussi, il y a des méchants qui se moquent des pauvres. Moi,
j'aime le Brésil, mon pays. C'est un médecin brésilien qui m'a soigné. Nous avons
un beau et grand pays, nous fabriquons
même des avions à réaction exception-
nels. Même pauvre, je suis fier d'être
Brésilien.

Les élèves écoutent attentivement.
Certains applaudissent quand Gilberto lit
un texte d'un géographe brésilien : «Les
enfants ont le droit de manger. Personne
sur la Terre ne devrait mourir de faim.
C'est une honte! La Terre fournit assez de
nourriture pour tous les humains. Les
pauvres nourrissent souvent les riches. Il
est scandaleux que des gens soient obli-
gés de fouiller dans les poubelles pour
survivre!»

Le professeur barbu se lève et crie :

– Bravo!

Catherine et Angèle sont heureuses.
Sophie remercie Gilberto et Iracema. La

séance se termine dans un joyeux brou-
haha. Les élèves turbulents s'avancent
vers Gilberto et Iracema.

– J'aimerais te parler, dit Jack, l'un
des meneurs.

Alors que tout le monde échange des
propos, Jack revient discrètement vers
Gilberto.

– Bien, très bien.

– Merci.

– Chez nous, c'est à peine différent
de chez toi.

– Hein?

– Nous autres, on est très pauvres et
pourtant on est Canadiens.

Jack parle à voix basse. Iracema se
penche pour traduire :

– Mon père est chômeur, ma mère
s'occupe de nous. Il n'y a pas beaucoup
à manger à la maison et il n'y fait pas
chaud.

– Ici! au Canada!

– Même dans cette école, on est nombreux à ne pas avoir pris de petit déjeuner
avant de venir ce matin. Moi, j'ai toujours
faim. Je mange des chips et des cochon-
neries, je le sais, mais j'ai faim, comme
toi.

– Pas possible?

– L'hiver, nous, on souffre plus du froid que les riches. Souvent je rêve à des pays chauds.

– Moi, aux pays froids!

– J'ai jamais vu la mer. Je ne suis même pas allé une fois à Québec, je suis pas le seul ainsi. T'as bien fait de parler des pauvres. Les gens, ils pensent toujours que les pauvres font exprès pour être pauvres et le rester. Tu leur as conseillé de ne pas se plaindre de leur nourriture et de travailler à l'école, c'était correct de dire ça.

Et Jack part en souriant.

Plusieurs élèves s'approchent d'Iracema et de Gilberto :

– Moi, je n'avais jamais vu des Brésiliens, vous nous ressemblez.

– J'aurais aimé qu'Iracema donne son avis! Les gars prennent toujours trop de place! ronchonne une jeune fille.

– Je répondrai à toutes tes questions, quand tu le souhaiteras, lui dit aimablement Iracema.

– Les filles ont-elles les mêmes droits qu'au Canada?

– Décris-moi les plages de là-bas!

– Pourquoi des gens manquent-ils de nourriture chez vous, alors que nous mangeons des fruits de votre pays?

– Comment réagirez-vous à votre retour au Brésil?

– Que raconterez-vous à vos amis?

– Avez-vous hâte de rentrer chez vous?

– Vous reviendrez, j'espère!

– Le froid n'était pas trop rigoureux pour vous?

– Vous partez bientôt?

– Pourquoi vous ne restez pas plus?

– Vous n'aviez jamais vu de neige avant?

– Il y a vraiment des gratte-ciel à Fortaleza?

– Comment on se sent dans un avion pendant si longtemps?

– Moi, j'ai déjà vu des palmiers en Floride!

– L'enfer vert, tu connais?

– Gilberto et Iracema, merci pour votre message, merci d'avoir si bien parlé à nos classes, affirme Sophie.

Gilberto retrouve toute sa timidité.

– Quelle maturité, quelle maturité, répète le professeur barbu à Sophie.

Le stress tombé, Iracema et Gilberto avouent avoir appréhendé cette rencontre à l'école. Ils confient aussi leur étonnement devant les réactions qu'ils ont déclenchées.

– Je regrette mon parler un peu trop direct et dur, confesse Gilberto.

La fatigue se lit sur son visage. Sophie rassure Gilberto :

– Non! Non! Gilberto, ton cœur a parlé. Ton émotion, ta sincérité, ton expérience douloureuse, voilà ce qui nous touche. Et Sophie ajoute : bravo Angèle et Catherine, objectifs atteints et même dépassés! Nous venons de vivre une rencontre mémorable!

Chapitre quatorze

Ultimes regards

Le jour du départ approche. Le temps s'écoule rapidement. Gilberto regarde la neige tomber, il va regretter cette pluie blanche qui étouffe les bruits. Bientôt ils repartiront vers le Brésil, le soleil chaud, Ici il est souvent froid, même lorsqu'il est éclatant. Ils retrouveront des amis là-bas, mais ils vont en laisser ici.

La veille du départ, tous dorment mal.

Gilberto fixe longtemps la maison d'Angèle, la rue, le quartier, l'école.

Déjà l'aéroport, il leur semble y être arrivés il y a quelques heures. Les deux semaines ont passé si vite. Voici les couloirs, les appels, les gens qui se bousculent. Les amis sont tous venus, même le professeur barbu, triste lui aussi, quelques élèves un peu gênés, certains profs, le comité Brésil au complet, portant des ballons, Gilberto jette un coup d'œil dehors, il neige à gros flocons.

Les gens se retournent sur le groupe bruyant. Moment crucial, on s'embrasse, se serre les mains une dernière fois. On parle en français, en portugais, on chante, malgré tout, des chansons d'amour et d'au revoir.

Angèle et Catherine pleurent. Iracema et Gilberto s'en vont, ils tendent la main vers le groupe, les yeux se cherchent, ultimes regards qui arrachent les larmes. Les silhouettes se perdent dans un couloir. L'avion décolle. Les voitures quittent l'aéroport. Il neige.

– J'aimerais retourner au Brésil cet été.

– Cela dépendra de mon contrat, Charles, répond Paul.

La voiture roule silencieusement dans la neige épaisse.

– Eux, ils voient déjà le soleil, dit Catherine. Leur avion vole au-dessus des nuages.

– Je déteste quitter des amis, et Angèle poursuit : je me demande comment ils seront accueillis à Fortaleza? Quel choc pour eux, c'est pour ça que Gilberto observait tant notre maison ce matin, comme s'il voulait l'emmener avec lui. Heureusement il va habiter chez Iracema.

– Comment le sais-tu, Angèle?

– Iracema me l'a annoncé tout à l'heure. Autre bonne nouvelle : de sa classe, Iracema pourra nous envoyer directement des courriels sur les ordinateurs de notre propre classe!

L'école reprend son train-train habituel, sauf pour les élèves du comité Brésil qui fourmillent de projets :

– On veut organiser un voyage à Fortaleza!

– Moi, je vais suivre des cours de portugais!

– Les études pour moi, maintenant c'est important!

– J'ai hâte d'avoir de leurs nouvelles.

Quelques jours plus tard, l'atmosphère est survoltée.

– Voici le premier courriel de Fortaleza!

– Vite, vite, on veut le lire!

Chapitre quinze

Rêve étrange

*C*hers amis, Angèle, Catherine, Charles, Sophie et tous les autres du comité Brésil,

Grâce à vous, nous avons effectué un voyage extraordinaire. Après quelques jours de repos, nous sommes de retour à l'école. On nous pose plein de questions!

D'abord vous nous manquez énormément. Ces deux semaines permirent de tisser de solides amitiés.

Quel contraste avec le Canada, il fait trente-sept degrés et nous regrettons autant la neige que vous la chaleur.

Gilberto et moi avons un peu dormi durant le long voyage. Nous étions trop énervés pour nous détendre vraiment. Gilberto a même rêvé de palmiers dans la neige! Les palmes couvertes de neige brillaient au soleil. Étaient-ce vous au Brésil ou nous au Canada? Rêve étrange, comme *notre aventure, avez-vous remarqué, nous sommes, dans les deux cas, deux enfants, de deux pays, qui avons voyagé deux semaines!*

Dès lundi prochain nous suivrons des cours de français, de niveau élevé pour moi Iracema et de niveau élémentaire pour Gilberto. Apprendrez-vous le portugais? C'est d'ailleurs notre future professeur de français qui corrige cette lettre. Elle est parisienne d'origine et s'étonne de nos «charmantes expressions québécoises», elle souhaite en découvrir d'autres.

Gilberto parle souvent de «la» conférence. Il a été si ému par les questions.

Quel beau pays vous habitez!

Ah! oui, l'ordinateur, de notre école est un cadeau. C'est un journal qui l'a offert, ce journal a publié un reportage sur notre voyage et un peu de l'histoire de Gilberto.

Un jour peut-être, nous nous verrons même sur l'écran, et nous nous parlerons en direct, vous serez plus près!

On vous embrasse tous! Un grand bonjour au comité Brésil, um abracão! Venez vite nous voir!

Iracema, votre amie

C'est moi, Gilberto. Je suis retourné dans ma maison, j'ai eu un choc! Plus que jamais je me battrai pour que les camarades de mon quartier puissent sortir de leur enfer, comme on me l'a permis. Si je vous ai aidés, sachez que vous aussi m'avez beaucoup aidé. Maintenant, je suis mieux placé pour épauler mes amis de la rue. J'étudierai très fort, et travaillerai pour qu'eux aussi puissent vivre, manger, rire, s'instruire comme moi. Pas uniquement survivre. Nous y arriverons ensemble. La faim et la misère sont des scandales, ne l'oubliez pas. Je veux surtout vous dire que je vous aime, le reste je vous le raconterai plus tard. Je suis content de pouvoir parler un peu français, notre professeur (c'est elle qui corrige mes phrases) et la mère d'Iracema, nous parlent tout le temps en français.

J'ai vécu un rêve!

Je vous quitte pour aujourd'hui. Écrivez-nous souvent, en français et en portugais!

Um abracão!

Gilberto

Les élèves du comité Brésil se passent la lettre, lisent par-dessus les épaules, rient, sourient.

– Oh! que j'ai hâte de les revoir!

– Moi, j'aimerais tellement y aller, dès demain si j'avais de l'argent!

– On va leur répondre!

– Qu'est-ce qu'on leur écrit?

La réunion commence aussitôt dans une joyeuse confusion. Angèle et Catherine rédigent quelques phrases, puis chacun veut ajouter un mot, une salutation, signer. Sophie relit le texte, corrige les fautes et c'est parti!

Au sud de l'équateur deux enfants lisent le courriel suivant :

Chère Iracema, cher Gilberto,

Un grand bonjour du pays de la neige! Merci pour votre courriel qui nous a apporté un peu de chaleur. Ici, il fait moins vingt degrés. Nous aussi on vous aime bien gros! On est tous là, du comité Brésil à vous écrire. Moi Angèle, Catherine, Jack et les autres, Sophie bien sûr et son collègue bar-

bu. *Votre départ a créé un grand vide. Vous nous en avez tant appris en si peu de temps! Nous pensons à tous les enfants du quartier de Gilberto. Son témoignage nous a réveillés. Pourquoi les enfants du monde ne se sont-ils pas encore donné la main, comme on dit dans les chansons? Ce que les grands ne peuvent faire, nous pouvons peut-être le réaliser?*

Ici, un autre projet fou est parti. On organise plein d'activités, un jour peut-être quelques-uns de nos élèves iront dans votre école! On apprend le portugais, parfois en écoutant des chansons brésiliennes, c'est plus agréable. Notre maîtresse nous a même loué des films brésiliens. Je vous dis que notre école a changé et nous encore plus! Moi-même, Angèle, je ne me reconnais plus, mes parents se demandent si c'est leur fille qui est revenue du Brésil ou une autre!

Quant à notre école, elle bourdonne de projets, il y en a même qui créent des comités pour d'autres pays! Le professeur barbu et Jack lancent une campagne de boycott contre une compagnie internationale de vêtements qui exploite la main d'œuvre enfantine. Le professeur barbu et Jack!

Vous vous rendez compte! Ils disent que c'est grâce à vous qu'ils ont compris cela. Alors on vous remercie pour toute l'aide que vous nous avez apportée.

On vous envoie de grosses boules de neige! Une couche de trente centimètres nous a ensevelis la nuit passée, on a du mal à penser que vous souffrez de la chaleur!

Je laisse les autres ajouter un mot.

Catherine se joint à moi, on vous embrasse tous!

Nous avons le cœur au Brésil! Nous sommes aussi des palmiers dans la neige!

Até logo!

Um abracão!

À bientôt!

Ce soir d'hiver, Angèle est seule dans sa chambre. Le téléphone sonne.

– Angèle! Pour toi!

– O.K. maman, je le prends, merci!

– Oui Catherine? Si, je vais bien? Quelle question!

– Tu te souviens de ton humeur quand je t'ai appelée avant que tu partes au Brésil?

– Il me semble que c'était il y a un siècle! Moi qui pensais que ce voyage m'ennuyerait! Quelles étranges vacances brésiliennes! Je crois que cela m'a un peu changée.

– Un peu?

– Je peux dire merci à Iracema, et à Gilberto!

– Tu ne rabats plus tes cheveux?

– Je devrais peut-être, cela me donnait un air mystérieux, mais maintenant, j'aime bien regarder les gens en face, la vie aussi!

Le jeu du livre

L'Amérique du Sud

Le Brésil

Petites questions de géographie

1. Quels pays d'Amérique du sud n'ont pas de frontière avec le Brésil?
2. Comment se nomme la région de «l'enfer vert» dont rêve Charles au début du voyage?

À compléter

Le Brésil n'est pas uniquement un pays à problèmes. Souvent, ce pays respire une grande joie de vivre, riches et pauvres apprécient une musique, une danse, qui exprime la joie populaire. Charles fait jouer une cassette de _____.

Oui ou non?

1. Le père d'Angèle travaille pour une compagnie forestière.
2. Une *jangada* est un taudis.
3. Florence s'est fait voler sa bague durant le voyage.

Le jeu de l'écrivain

1. Quel autre titre auriez-vous choisi pour ce livre?
2. Quel rôle plus important auriez-vous donné à Charles?
3. Quelle pourrait être la profession de Florence?
4. Quelle aventure aurait pu se produire à la plage ou à la campagne?
5. Si vous aviez été l'auteur, auriez-vous écrit la visite au dépotoir? Pourquoi?

Le projet d'Angèle et d'Iracema

1. Pourquoi les deux amies pensent-elles à un jumelage de leur classe ou de leur école?
2. Quels obstacles voyez-vous dans la réalisation de ce jumelage?
3. Existe-t-il des solutions plus faciles que le jumelage pour aider des enfants comme Gilberto?
4. Il y a-t-il d'autres pays où les gens ont faim?

Le jeu des mots

Parlez portugais

Oui   *Sim*

Non   *Não*

Peut-être   *Talvez*

S'il vous plaît   *Por favor*

Au revoir   *Tchau*

À bientôt   *Até logo*

Bien   *Bom*

Merci exprimé par un homme : *Obrigado*
exprimé par une femme : *Obrigada*

Bonjour, le matin, on dit : *Bom dia*

Bonjour, l'après-midi, on dit : *Boa tarde*

Bonsoir, bonne nuit : *Boa noite*

Aujourd'hui : *Hoje*

Hier : *Ontem*

Demain : *Amanhā*

Quelle heure est-il? : *Que horas sāo?*

Embrasser très fort,
chaleureuse embrassade : *Um abracāo*

Le jeu de l'histoire

Selon vous quelle serait l'origine du nom
Brésil?
(la réponse est à la fin de ce jeu.)

Renseignements

Quelques fruits du Brésil

Il est regrettable que des gens souffrent de
la faim dans un pays qui a tant de fruits
et de légumes.
Au Brésil, on apprécie entre autres :
– la papaye, peau jaune et pulpe rouge-
   rosée, riche en vitamines A et C.

- la mangue, jaune, verte, rouge, selon la maturité, pulpe dorée, haute teneur en vitamine A, source de vitamine C.
- le citron brésilien, vert foncé, riche en vitamine C, les Brésiliens en font la *caipirinha*, la boisson du temps des fêtes (on y ajoute du rhum : la *cachaça*).
- la goyave, peau vert-jaune, pulpe blanche, source de vitamine C.
- l'ananas, la mandarine, l'avocat, vous sont plus familiers que la nèfle (jaune), le kaki (rougeâtre), la pastèque (vert-foncé) le carambola (ambre). Amusez-vous à dénicher ces fruits chez un commerçant, et demandez comment on les déguste. Bon appétit!

Vivre à la brésilienne, c'est aussi partager un art de vivre, des musiques, danser, jouer au football, chanter, réaliser son travail quotidien, créer des chefs d'œuvre. Le Brésil possède des trésors culturels; pour les apprécier, lisez les nombreux livres et guides touristiques publiés sur ce grand pays. Bonne lecture!

Réponses

Petites questions de géographie

1. L'Équateur et le Chili.
2. L'Amazonie.

À compléter

Samba, la musique populaire du Brésil.

Oui ou non?

1. Non
2. Non
3. Non

Le jeu de l'écrivain

1. Titres suggérés :
   «La faim des autres», «Étranges vacances au Brésil», «Le voyage insolite d'Angèle», etc.
2. Charles pourrait jouer un rôle de premier plan, il pourrait être à la place d'Angèle.

3. Journaliste ou photographe ou autres.

4. Ils auraient pu se faire voler à la plage et essayer de poursuivre les voleurs, l'aventure eut été risquée. À la campagne, la panne aurait pu les immobiliser plus longtemps, ils auraient mieux appris à connaître les villageois.

5. L'auteur a lui-même vécu cette situation en compagnie d'un groupe de jeunes Canadiens. La visite du dépotoir fut une des épreuves les plus éprouvantes du voyage.

Le projet d'Angèle et d'Iracema

Voici quelques réponses possibles :

1. Parce qu'à elles seules il est difficile de modifier une situation si complexe. « L'union fait la force ».

2. Il n'est pas du tout évident que les deux écoles disposent des ressources matérielles, du temps, de l'argent, et de la collaboration d'un secrétariat (il y a beaucoup de courrier à écrire) pour décider de s'impliquer dans ce projet de jumelage.

3. Oui, de nombreuses associations exist-
ent dans différents pays, des organisa-
tions non gouvernementales travaillent
dans ces secteurs, Unicef, Oxfam, etc,
ainsi que des projets de parrainage
individuel.
4. Hélas oui! La faim et la malnutrition
touchent de nombreux pays. Même
dans les pays qualifiés de riches une
partie de la population souffre de ces
problèmes, mais la situation est plus
critique pour les personnes pauvres de
beaucoup de pays.

Renseignements historiques

En 1500, les Portugais (Pedro Cabral)
nommaient le Brésil : Terre de la Vraie
Croix soit : *Terra de Vera Cruz*. Puis ils
appelèrent le Brésil : Terre de la Sainte
Croix soit : *Terra de Santa Cruz*.

Un arbre au noyau rouge, couleur de
braise, qu'on trouvait près des côtes, le
bois-brésil, fut très apprécié pour la tein-
ture des tissus en Europe, et donna son
nom à la Terre du Brésil. (Inspiré de *Brésil*,
Les éditions j.a.)

Fortaleza (Forteresse) est une grande ville réputée pour son climat, un été de neuf mois et la beauté des plages de la région. Les plages de la ville, dont celle que nous évoquons dans le livre (chapitre 3) sont, de nos jours, souvent polluées et non recommandées. Il est préférable de s'éloigner de Fortaleza. Plus loin, le long de l'Atlantique, on peut admirer les vastes dunes, et les cocotiers qui brillent sur le sable comme des palmiers dans la neige!

Table des matières

Du même auteur

Aux Éditions du Vermillon

L'attrape-mouche. Récit, collection *Parole vivante*, n° 6, 1985, 128 pages.

Un clown en hiver. Roman, collection *Romans*, n° 1, 1988, 176 pages. **Prix littéraire *LeDroit*,** 1989.

Paris-Québec. Roman, collection *Romans*, n° 4, série *Jeunesse*, 1992, réimpression en 1993, 236 pages. **Prix littéraire *LeDroit*,** 1993.

Rendez-vous à Hong Kong. Roman, collection *Romans*, n° 5, 1993, 272 pages.

Les chiens de Cahuita. Roman, collection *Romans*, n° 11, 1994, 240 pages.

Une île pour deux. Roman, collection *Romans*, n° 13, 1995, 172 pages.

Lettres à deux mains. Un amour de guerre, collection *Visages*, n° 5, 1996, 160 pages.

Le Loup au Québec. Roman, collection *Romans*, n° 20, Série *Jeunesse*, 1997, 220 pages.

Paris-Hanoi. Roman, collection *Romans*, n° 10, série *Jeunesse*, 1998, 232 pages. **Prix littéraire LeDroit**, 1999.

Les petites mains. Enfants du Mexique, collection *Visages*, n° 9, 1999, 96 pages.

Paris - New York. collection *Romans*, série *Jeunesse*, 2002, 180 pages.

Aux Publications Marie et Notre Temps

Vous les jeunes! Réponses à des questions qui vous hantent (avec Paul Gay, spiritain), 1999, 144 pages.

Aux Éditions Le Grand Large

Les petites âmes. Récits, 2000, 176 pages.

Palmiers dans la neige
est le deux cent cinquante-septième titre
publié par les Éditions du Vermillon.

Composition
en Bookman, corps onze
sur quatorze
et mise en page
Atelier graphique du Vermillon
Ottawa (Ontario)
Films de couverture
Impression et reliure
Imprimerie Gauvin
Gatineau (Québec)
Achevé d'imprimer
en mars de l'an deux mille trois
sur les presses de
l'imprimerie Gauvin
pour les Éditions du Vermillon

ISBN 1-894547-68-3
Imprimé au Canada